플라스틱　하늘

`저자 지 영
지은 책으로 「검은 동굴」이 있다.
jiyoungoff@gmail.com
instagram.com/jiyoungoff

플라스틱 하늘

발 행 | 2016년 11월 7일
저 자 | 지 영
펴낸이 | 한건희
펴낸곳 | 주식회사 부크크
출판사등록 | 2014.07.15.(제2014-16호)
주 소 | 경기 부천시 원미구 춘의동 202 춘의테크노파크2단지 202동 1306호
전 화 | (070) 4085-7599
이메일 | info@bookk.co.kr

ISBN | 979-11-272-0658-1

www.bookk.co.kr
© JI YOUNG 2016

지
영

단
편
집

플
라
스
틱

하
늘

맹세는 말에 지나지 않고
말은 바람에 지나지 않는다

초 케
코 이
　 크

1

사과를 베어 물다가 문득 기억이 났다.

'아, 오늘 딸아이의 생일이었지.'

가끔씩 나는 까먹는다. 사소한 것이라 해야 할지, 중요한 것이라 해야 할지, 그 기준도 이제 애매해질 나이가 됐다. 오늘 생일 케이크를 사다 주지 않아, 딸아이가 갑자기 인연을 끊는다고 말한다면 어마어마하게 중요한 것을 까먹었던 것이고, 아니면 딸아이가 '엄마, 됐어, 서른 먹어서 무슨 케이크야. 어린애도 아니고.' 라고 한다면, 그것은 아주 사소한 것을 사소하게 잊어버린 것이 된다. 모든 건 결과에 달려있다.

가끔 남편이 죽었다는 사실도 까먹어버린다. 이제

그 사실은 중요한 것이 아니게 됐다. 나는 사소한 걸 까먹은 것이다.

하루의 모든 순간이 빛나고, 아주 중요한 것처럼 소중히 여겼던 때가 있었는데… 벌써 육십이 다 되어 간다.

어쨌든 별거 아닌 것이라도 기억을 떠올랐으니, 몸을 움직여 실행해보려 한다.

딸은 케이크를 좋아한다. 그것도 초코 케이크. 케이크가 아주아주 달지 않다면 그건 케이크가 아니라고 했다.

"그러면 그건 뭔데?"

"몰라. 어쨌든 그건 **절대로** 케이크가 아니야."

그래서 케이크 중에는 초코 케이크가 최고라고 말했다. 한 번은 미국이었는지, 프랑스였는지, 여행을 갔다 온 딸아이가 무언가에 흠뻑 반한 표정으로 캐리어를 끌고선 집에 온 적이 있다. 나는 여행이 너무나도 즐거워서 저런가보다, 하고 대수롭지 않게 생각하여 아무 말도 하지 않았다. 어차피 딸아이가 먼저 입을 열었다.

"엄마, 엄마."

"왜."

"엄마. 나 이번에 최고의 초코 케이크를 맛보고 왔

어."

　그랬다. 딸아이는 여행 첫째 날(한 달간의 여행 중) 먹었던 초코케이크에 홀려 나머지 여행(약 29일)의 순간들이 흐릿하게 기억난다는 것이다.

　"그 초코 케이크는 아주 찐득하고, 쫀득하고, 그러면서 촉촉하고… 내 혀 위에서 부드럽게 케이크 가루들이 녹아내리는 거야. 내 몸 안에 있는 것도, 머리도 녹아내릴 것 같더라. 게다가 금방 나와서 따뜻하기 까기 했어… 난 먹자마자 모든 것이 잊혀 졌어. 머릿속이 싹 비워져버렸다고! 다 먹은 후에는 직원한테 가서 딱 한마디만 했지."

　"뭐라고?"

　"What is FUCK cake's name?"

　"그랬더니 뭐래?"

　"HOT Devil's Food Cake."

　악마의 케이크. 아쉽게도 한국에는 그 케이크를 파는 곳이 없었다. 아, 아닌가? 갑자기 기억이 났는데, 몇 년 전인가, 몇 달 전인가. 하여튼 아주 더운 날이었던 건 기억이 난다. 갱년기와 폭염이 겹쳐 몸이 한껏 달아오른 나는 욕조에다가 찬물을 받아 놓고, 얼음 가게에 가서 얼음을 사와 몽땅 욕조에 부었다. 그렇게라도 안하면 당장이라도 돌아버릴 것만 같았기 때문이다. 심장은 벌렁거렸고 볼은 뜨거웠다. 욕조에 발가벗고 들어가 몸을 식히고 있었다. 머리가 띵 해졌다. 그렇게 있는데, 딸아이가 외출 후 돌아와 나를 찾았다.

"엄마, 엄마!"

"엄마 화장실에 있다. 안방 화장실!"

문으로 빼꼼, 나를 쳐다보는 딸아이는 실망한 표정이 역력했다.

"왜 그러니? 무슨 일 있었어?"

"나, 데블스 푸드 케이크 먹고 왔어."

"그게 뭐야?"

"아, 그거 있잖아. 내가 여행 갔다 와서 최고로 맛있었다는 초코 케이크. 또 까먹은 거야?"

"아, 그거. 한국에 파는 데가 있었어?"

"응. 유기농 뭐 어쩌고, 설탕이랑 버터를 넣지 않고 쌀가루를 사용하여 만든다는 케이크 가게에 그 케이크를 팔더라고. 그래서 한 번 사먹어 봤지."

"그래서, 어땠어."

"너무 맛이 없었어. 화가 날 정도로 말이야. '몸의 힐링' 이라는 광고 문구에 깜빡 속아버렸지 뭐야."

"얼마나 맛이 없었길래."

"푸석푸석하고, 하나도 안 달고, 부드럽게 포크로 퍼지지도 않고 다 부셔져버려서 먹기도 불편했어. 그걸 케이크라고 이름 붙여서 팔고 있다니. 정체불명의 음식을! 그런 건 뭣도 아냐. 케이크는 먹고 기분이 좋아져야 해. 단숨에 말이야. 포크로 처음 케이크를 떴을 때부터 그 부드러움이 손끝부터 먼저 전해져서 기대감에 부풀어 오르게 해야 한다고. 영양을 생각했다면 차라리 샐러드나 다른 걸 팔던가.”

딸아이는 나에게 역성을 내며 케이크에 대한 자신의 이론을 펼치더니, 어느새 차분해져서는 눈빛과 말소리가 순해졌다. 그러다 잠시 침묵해서 골똘히 무언가를 생각하더니, 뭔가 결심이라도 한 듯 내게 말했다.

“엄마, 나 회사 그만두고 케이크 만드는 거 배울래.”

그 때가 갱년기였으니, 오십 초중반정도 됐었을 것이다. 딸아이는 스물 중반쯤이었겠지. 그렇게 나한테 통보해버리곤 프랑스로 훌쩍 떠나버렸다. 원래 딸아이는 그런 식이다. 아무리 남이 뭐라고 해도 자기가 하고 싶은 건 다 해봐야 한다. 나는 한 번도 해외를 가본 적도 없고, 다른 직업을 가진 적도 없이 쭈욱 전업주부로 생활해왔는데, 딸아이는 겁도 없이 해외를 잘도 쏘다니고, 회사도 여러 번 바꾸었다. 도대체 누구를 닮은 건지 원.

딸아이와 있었던 일을 회상하며 걷다 보니, 어느새 케이크 전문점에 도착했다.

아, 내 정신 좀 봐. 딸아이는 아직도 프랑스에서 케이크 만드는 기술을 배우고 있는데, 그 사실을 깜빡해버린 것이다.

그래도 여기까지 왔으니, 가게에 들어가 보기로 마음먹었다. 연한 분홍색 간판에는 불어로 가게이름이 써져 있는데 읽지를 못하겠다. 영어로 써 있어도 잘 읽지는 못했을 것이다.

그 정체불명의 케이크 가게의 문을 열고 들어가니, 맛있어 보이는 케이크가 많았다. 딸아이가 분명 좋아했겠지. 하지만 이 가게에서는 초코 케이크의 종류가 단 하나밖에 없었다. 딸아이 대신 내가 먹어볼까, 하고 직원에게 손가락으로 이 가게에서 유일한 초코 케이크를 가리키며 한 조각 달라고 말했다. 직원은 내 또래처럼 보였는데, 곱게 늙어서 인상이 보기 좋았다.

"칠천 팔백 원입니다."

"칠천 팔백 원이요? 왜 이렇게 비싸요?"

직원은 내 말에 수줍게 웃으며, 좋은 코코아 가루와 다크 초콜릿과 버터를 사용해서 재료비가 높아졌기 때문이라고 말했다. 그리고 나선 갑자기 내 얼굴을 가만히 쳐다보았다.

난 하도 쳐다보기에 내 얼굴에 뭐라도 묻은 줄 알고 손으로 얼굴을 쓸어내려보았지만 손끝에 걸리는 건 없었다. 직원은 계속 고개를 갸우뚱거리며 나를 뚫어지게 쳐다봤다.

"왜 그러세요?" 참다못한 내가 말을 꺼냈다.

"혹시, 이름이 경자 아니에요?"

"어머, 제 이름을 어떻게 아세요?"

"맞네, 맞아. 이경자! 나 기억 안 나?"

동창생인가? 초등학교, 아니면 중학교? 나는 중학교밖에 나오지 않았다.

'누구지?'

내 친구인 것 같은 직원의 왼쪽 가슴에는 이름이 적힌 명찰이 앞치마 끈에 꽂혀있었다. 왕지희. 지희라는 애는 없었던 것 같은데.

"나 순자야, 왕순자."

아, 순자. 어렴풋이 기억이 난다. 왕순대라고 놀렸던 기억이. 안경을 끼고 수줍음이 많던, 소심한 여자애였다. 지금은 완전히 다른 사람 같다.

"순자라면 알지! 이름을 지희라고 바꾼 거니?"

고개를 끄덕이는 순자. 볼도 아직 젊은 애들처럼 적당히 통통하고 이마와 볼에는 윤기가 흘렀다. 거기에 늘씬한 몸매. 내가 반가워 웃는 모습이, 눈부시게 아름답게 보여 나는 속으로 주눅이 들었다. 난 오늘 내가 무엇을 입고 왔는지 고개를 살짝 숙여 살펴보았다. 펑퍼짐한 나일론 티셔츠에 검은색 7부 바지를 입었다. 그리고 볼품없는 몸매.

"정말 오랜만이다, 얘. 반가워. 옛날이랑 지금이랑 너무 달라서 못 알아봤어." 내가 말했다.

"요즘은 뭐, 자기하기 나름이니깐… 얼마든지 달라질 수 있지."

순자는 나를 보며 자신만만한 웃음을 지어보였다.

2

"케이크 가격 깎아 줄게. 오천 원으로."

"정말? 고맙다, 얘."

주머니에서 주섬주섬 지폐를 꺼내 오천 원짜리 한 장을 순자에게 줬다. 순자는 웃으면서 케이크를 진열해놓은 곳으로 가 초코 케이크 한 조각을 꺼냈다. 나에게 빈자리에 앉아 있으면 갖다 주겠다고 말했다. 나는 새하얀 탁자와 의자가 있는 곳으로 가 앉아서 유리창 너머로 보이는 풍경을 구경했다.

바쁘게 지나가는 사람들. 강아지를 업고 다니는 아줌마들.

곧이어, 케이크가 담긴 접시와 예쁜 포크와 따뜻한

커피를 올린 쟁반을 들고 순자가 내 쪽으로 왔다.

"자, 커피는 서비스!"

"고마워. 지금은 손님이 없을 시간인가 봐."

에고, 손님이 없다고 대놓고 말해버리다니, 실례였다. 나도 모르게 말이 나와 버렸다. 나는 순자가 혹시 마음이 불편해지는 않을까 걱정이 됐다.

"아냐, 입소문이 나서 주말에는 많이 와. 지금은 평일 낮이라 사람은 없지. 다들 일하니깐."

그래, 그렇지. 나는 전업주부라 평일 낮이 제일 한가롭다. 수긍한다는 의미로 고개를 아무렇게나 끄덕였는데 왠지 멍청해보였을 것 같다. 내 머리모양도 엉망이다. 힘없이 축 쳐지고 푸석푸석한 내 머릿결. 언제 이렇게 돼버렸지? 순자의 머리에는 윤기가 흐른다.

"자, 어서 먹어봐."

순자는 다시 카운터로 돌아갔고 나는 아기자기한 모양의 포크를 들어 케이크를 푹 찔렀다. 케이크는 부드럽게 잘라져 포크 위로 살포시 올라갔다. 온통 초코로 케이크를 코팅한 것이, 아주 달아보였다. 딸아이는 이렇게 달아빠진 것을 왜 좋아할까? 나는 한 입에 앙 넣었다. 내 입 속에서 깨끗해진 포크만 쏙 빠져나왔다.

나는 머리가 띵 했다. 얼음을 가득 담은 욕조에 들

어갔을 때 머리가 띵 한 것과는 다른 차원의 느낌이
다.

거창한 표현일 수도 있겠지만 이렇게 말해야겠다.

나라는 존재 자체가 뒤통수를 맞은 느낌이었다. 이
육십 년 세월이 전부 허무하고 아무 것도 아닌 걸로
느껴졌다. 내가 살아온 과거 통째로, 나에게 등을 돌
리는 순간이었다.

케이크가 **너무** 맛있었던 것이다. 그것도 충격적으
로. 내가 먹어본 것 중의 최고의 케이크였다. 딸아이
도 이런 말도 안 되는 감정을 느꼈던 걸까? 그래서
파리로 떠난 걸까? **그 감정**만을 믿고?

친구가 이런 최고의 케이크를 만들어내는 동안, 나
는 도대체 육십 년 동안 어디서 무얼 한 것일까?

그동안의 기억은 이미 노화로 터져버린 머리에서
다 줄줄 새어나가고 있다. 그래도 기억을 최대한 끌어
모아, 나에 대해 결론은 내릴 수 있었다.

나는 아무 것도 이룬 것이 없다. 그걸 깨닫자, 한없
이 서글프고 우울해졌다.

서글픈데도 손은 자꾸만 포크를 집어 케이크를 입
으로 가져갔고, 혀는 케이크의 숨겨져 있는 맛까지 모
두 음미하려고 애를 썼다. 내 의지가 아니었다. 몸이
알아서 그렇게 움직였다.

정말 맛있다. 이런 케이크는 난생 처음 먹어본다. 초코 케이크인데도 어쩜 이리 산뜻할까. 이 단맛은 노곤하게 내 몸을 녹여 나도 초코 케이크처럼 촉촉해지는 것만 같았다. 게다가 끝에 혀에 살짝 남는 이 상큼한 맛은 뭐지? 레몬 아니면 오렌지일 것 같다. 이 맛있는 케이크의 이름은 뭘까?

어느새 순자가 내 옆으로 와 열심히 자신의 케이크를 먹는 내 모습을 보고 있었다.

"맛있어?"

나는 고개를 들어 순자의 웃는 모습을 보았다. 나는 그 의기양양하고 순수하게 웃는 모습에 기가 눌려 당장이라도 내 모습을 숨기고 싶었다. 아무 대답도 못하고 애꿎은 포크만 쪽쪽 빨 뿐이었다.

"한 조각 더 포장해줄 테니, 가져갈래?"

"응, 가져갈래."

나도 모르게 터져 나온 대답에 내 스스로가 깜짝 놀랐다. 푼수 같다. 순자는 싱긋 웃으며 케이크 두 조각을 예쁜 박스에 포장해주었다. 그걸 가지고 집으로 돌아오는 길은 참 쓸쓸했다. 내 인생을 다시 되돌아 걷는 것만 같았다.

한 때 푸르렀다가 변해버린 낙엽조차도 없는, 아무것도 남아있지 않은, 텅 비고 비좁은 길목. 사고도 격

정도 없었던 무사無事의 일생.

　나는 케이크의 이름을 물어본다는 걸 깜빡하곤, 벌써 집에 도착해버렸다.

3

집에 오자, 깜빡 잊고 두고 나온 핸드폰 먼저 확인했다. 부재중 전화 2통. 이상한 번호를 보니 딸아이 같다. 그러다 갑자기 전화가 와 바로 받아보았다. 딸아이였다.

"엄마! 왜 이렇게 전화를 안 받아."

"응, 잠깐 두고 외출했거든. 무슨 일 있니?"

"음, 딱히 무슨 일이 있는 건 아닌데, 그냥 전화 해봤어."

딸아이는 중대한 할 말이 있어서 전화를 한 것이 틀림없다. 평소에 연락도 잘 안하면서 전화를 세 통이나 한 것을 보면. 아마 통화가 끝날 때쯤에 슬슬 말하겠지.

"그래?" 나는 모른 척해주기로 했다.

"응. 그나저나 어디 갔다 왔는데?"

"케이크 가게에 갔다 왔어. 알고 보니 거기 가게 주인이 내 초등학교 동창이더라고. 이름이 순자라고 있어. 아, 나도 방금 초코 케이크를 먹었는데 정말 맛있었어. 너도 예전에 최고의 초코 케이크를 맛봤다고 했잖아? 나도 오늘 내가 먹어본 것 중 최고의 케이크를 먹은 것 같아."

"엄마 단 거 싫어하잖아. 그러면 엄청 맛있다는 얘기인데! 우리 동네에 그런 가게가 있었어? 가게 이름이 뭔데?"

"잘 모르겠어. 분홍색 간판에 불어로 뭐라고 써져 있던데 읽지를 못하니깐."

"분홍색 간판? 거기 혹시 '쒸크헤sucrée' 아니야?" 딸은 불어를 유창하게 구사했다.

"뭐, 쒸퀘? 시커먼?"

"쒸크헤sucrée. 불어로 달콤해요, 라는 말이야. 거기 유명한 곳인데, 엄마 이제 가본 거야?"

"난 몰랐는데. 그렇게 유명하면 네가 좀 데려가주지 그랬어."

"유명한 데에 비해서 맛이 떨어지니깐 안 데려가준

거지. 거긴 초코 케이크 종류가 하나밖에 없더라. 먹어봤는데 별로였어."

"나는 맛있던데. 내 인생 최고로."

"그게 맛있다고? 어떻게 그게 맛있다는 거야?"

"넌 맛있는 거 많이 먹으러 다녀봤잖아. 난 그런 거 못 먹어봐서 뭐가 맛있는지도 몰라. 하여튼 난 정말 맛있었어. 이런 맛도 있구나, 싶었어."

"엄마! 세상에 맛있는 게 얼마나 많은데! 그건 맛있는 것도 아니야."

"어쨌든 내겐 최고의 케이크였고, 그 케이크를 내 동창이 만들었다는 거야. 있잖아, 나 엄청난 충격을 받았어. 나랑 똑같은 해에 태어나 똑같은 초등학교를 다니며 똑같은 교육을 받은 그 애는 이런 케이크도 뚝딱 만들어낼 수 있는 사람이 됐는데 나는 이때껏 뭐한 건가, 싶었어. 우린 분명 똑같은 위치였는데 말이야. 난 너무 무능력한 것 같아. 맨날 까먹기나 하고."

"엄마는 무능력하지 않아. 난 사실 엄마가 부러워. 엄마는 나처럼 취업 걱정 같은 건 안 해도 되잖아? 집에서 간단한 집안일만 하면 되지. 나도 뭔가 하려고 기를 써대며 이쪽저쪽 떠돌아다니지 않고 그냥 집에서 살림이나 하고 싶어. 내 자식 키우면서."

"너 여행 다니고 이것저것 뭐 하는 거 좋아하잖아.

갑자기 그게 무슨 말이야."

"엄마, 나 있지. 그냥 한국으로 돌아가려고."

"뭐? 케이크는 어쩌려고."

"나, 최고의 케이크를 맛보았다고 했잖아. 처음에 난 그걸 맛보고 나도 이런 케이크를 만들어야겠다 싶었어. 엄마같이 최고의 맛이 뭔지도 모르고 살아가는 사람들에게 먹여주려고 말이야. 그래서 프랑스에 가서 기술을 배우고 있는데, 슬슬 내 한계가 느껴져. 난 그런 케이크를 일생동안 만들 수 없을 거야. 그리고 재미없고 질려버렸어, 이제는."

딸아이는 이것저것 해보긴 했지만, 싫증을 잘 내는 스타일이었다. 케이크만은 끝까지 하나 했는데 그것도 지겨워져 버렸나보다. 이걸 말하려고 내게 전화를 한 것이었다.

이런저런 이유를 말하고선 전화를 끊었다. 일주일 후, 딸아이가 커다란 캐리어를 두 개나 끌고선 집으로 돌아왔다. 그 모습을 바라본 나는 마음이 싱숭생숭해졌다. 도대체 어쩌려고 저러는 건지. 회사는 몇 번이나 갈아치우고서는 프랑스로 가서 돈이란 돈은 다 써버리고, 무책임하다. 하지만 한편으로는 그 자유로움이, 젊음이 정말로 부러웠다. 나도 저렇게 아무 생각 없이 하고 싶은 것을 맘껏 하다가 하기 싫으면 때려

치고, 그렇게 살아보고 싶었다.

"이걸 다 언제 정리하지?"

딸아이는 앓는 소리를 하면서도 그 많던 짐을 반나절 만에 다 정리했다. 그리고 냉장고를 열더니, 일주일 전에 순자에게서 받아온 케이크를 발견했다.

"어! 그 초코 케이크네, 엄마가 최고로 맛있었다고 했던."

"내 정신 좀 봐. 또 넣어놓고 깜빡했네. 상하지 않았을까?"

"냉장고에 계속 있었는데 뭐."

딸아이는 케이크를 상자에서 꺼내 먹기 시작했다. 한 입 먹자마자, 자허 토르테, 라고 나지막하게 말했다. 나는 이제야 그 케이크의 이름을 알 수 있었다.

"역시 초코 케이크는 냉장고에 있었다가 먹어도 맛있단 말이지. 나름 먹을 만한걸? 실력이 좋아지셨네."

나는 즐겁게 케이크를 음미하고 있는 딸아이의 옆에 앉았다.

"너 앞으로 어쩌려고 그래."

"엄마야말로 어쩔 건데."

"뭐? 내가 어쩌다니." 나는 황당했다.

"계속 살림만 할 거야?"

"그럼, 하던 거 계속 해야지."

"정말 대단하다, 대단해. 난 한 가지 일을 그렇게 진득이 하지 못하겠어. 엄마, 나 아무래도 구제불능인가 봐. 이번에 뼈저리게 느꼈어. 나는 아무 것도 이루지 못하고 아무 것도 해내지 못할 거야. 결국은 아무 것도 아닌 것이 되겠지. 아무 것도 아닌 것이 되면 나는 이제 어떻게 살아야 할까?"

딸아이는 천연덕스러운 얼굴로 심각한 말을 아무렇지 않게 뱉어냈다. 나는 대답해줄 말이 없었다. 내가 무슨 말을 할 수 있을까. 취업전선에 뛰어들어본 적도 없고 딸아이를 어떻게 해줄 수 있을 만큼 돈이나 힘이 있는 것도 아니었다. 그렇게 생각하니 딸아이에게 미안해졌다.

"나도 시집이나 갈까나."

딸아이는 말끝을 길게 끌었다. 이 버릇은 내 눈치를 볼 때 나오는 버릇인데… 아직도 할 말이 남은 걸지도 모른다. 나는 느긋하게 기다려보기로 했다. 내가 해줄 수 있는 일은 그것 뿐.

이제는 아무런 말없이 케이크를 먹는 딸아이.

"엄마."

"응?"

"나 임신했어."

"뭐?" 나는 화들짝 놀랐다.

"3개월이래. 원래 나는 주기가 불규칙해서 임신한 지도 몰랐어."

나는 어이가 없었다. 임신이라니? 이건 또 웬 날벼락일까.

아빠가 누구냐는 말에 딸은 아무 대답이 없다. 나는 심란해져 한숨을 푹푹 쉬었다. 딸은 갑자기 소나기가 쏟아지듯 눈물을 펑펑 쏟기 시작했다. 엉엉 우는 소리는 천둥과도 같이 내 가슴을 아프게 했다. 난 딸을 꾸중하지 않고 가만히 안아주었다.

"나, 혼자서, 뭐든지 잘 이겨내 보려고 했어, 이것저것 해보며 내 가능성을 시험하면서 말이야. 근데, 이번만은, 이번만은 너무 힘들다, 엄마."

할 말은 산더미 같은데 복받치는 울음에 띄엄띄엄 힘겹게 말을 꺼내는 딸아이. 온 얼굴이 다 젖어서 머리카락이 덕지덕지 달라붙었다. 한 올, 한 올, 달라붙은 것을 천천히 떼어주었다.

"나, 어떡해, 서른인데 경력도 빵점이고, 이제 받아줄 회사도 없고, 제대로 된 기술도 없어. 더 이상은 지쳤어. 이젠 정착하고 싶어. 어디든지 말이야. 그런데 이런 일이 생기다니. 가능성 완전 제로야, 나는…"

"아냐, 넌 가능성 있어."

딸아이는 그렁그렁한 눈으로 나를 쳐다보았다. 희

망을 찾는 눈이었다. 한 문장의 희망.

"어떤 가능성?"

"넌 최고가 뭔지 알잖아."

"알면 뭐 해. 내가 최고가 아닌 걸."

"아니, 최고를 알아주는 사람이 최고인 거야. 왜냐면 보통의 실력에 불과해도 그걸 최고라고 인정해주는 누군가가 있다면, 그건 정말 최고가 되거든. 넌 최고를 만들어줄 수 있어. 그러니깐 너도 최고야."

"그럼 엄마도 최고네."

"왜?"

"나를 최고로 만들어줬으니깐."

나와 딸아이는 부둥켜안고 웃었다. 우리는 계속 최고라고, 이런 일은 아무 것도 아니고 결국은 모든 것이 잘될 것이라고 반복해서 말했다. 이렇게라도 웃으니 다행이었다.

가끔은 자기 자신이나 남을 속이는 것도 필요하다는 생각이 든다. 그래야만 심각함을 털어내고 앞으로 나아가, 현실을 버티며 살아갈 수 있으니 말이다. 오히려 현실을 잊어야 현실을 버틸 수 있나보다.

4

딸은 아이를 지우기로 했다. 당연한 결과다. 우리에게는 앞가림할 돈이 없고, 아이 아빠도 어디 있는지 모르기 때문이다. 심지어 외국인이고.

딸아이는 또 무언가를 도전할 준비를 하고 있다. 방 안에서 노트북으로 쉴 새 없이 타자를 치고 마우스를 클릭하고 화면을 본다. 눈알을 데굴데굴 굴리고 머리가 빠르게 회전하고 있는 것이 여기까지 느껴진다. 새로운 것, 재밌는 것, 흥분시키는 것을 애타게 찾고 있는 딸아이. 나까지 정신이 없어진다.

이때까지 딸아이가 무엇을 해왔더라? 커피, 네일 아트, 케이크 만들기, 꽃꽂이, 가죽공예, 옷 만들기…

뭔가 더 있었던 것 같은데, 머릿속에 검은 장막이 드리워져, 기억력이라는 손으로 헤집어 봐도 아무 것도 닿질 않는다. 자꾸만 캄캄해지는 기억력. 그만큼 나는 소멸해가고 있다. 아무도 볼 수 없는 어둠 속으로.

나중에는 솔솔 부는 바람처럼 아무 것도 아닌 것이 되겠지.

친구가 만든 초코 케이크를 먹고 충격을 먹은 후 줄곧 난 이런 상태다. 멍하고, 텅 빈 껍질같이 금방이라도 으스러질 것 같아 무엇이라도 붙잡고 늘어져야 하는 애처로운 상태. 그 무엇이 어둡고 우울한 생각일지라도.

방에서 나온 딸아이의 눈이 희번덕거린다. 무언가를 찾은 모양이다. 아니면 하고 싶은 일이 생겼거나.

"엄마!"

딸아이가 내 팔을 잡는다.

"우리, 엄마 동창이 하는 케이크 가게에 다시 가볼까?"

"너 거기 별로라며."

"이번에 먹어보니깐 괜찮던데? 갑자기 그 케이크를 만든 사람의 얼굴을 보고 싶어졌어. 내가 갔을 때는 아르바이트생밖에 없었단 말이야."

"알겠어, 옷 좀 다시 입고."

나는 옷장을 주섬주섬 뒤진다. 조금이라도 더 나아 보이는 옷은 없을까. 추레해 보이기 싫었다.

밝은 옷을 입고, 딸아이와 다시 가게를 찾았다. 사람이 바글바글했다. 주말이라서 그런가. 가게 안으로 들어가자, 정신없어 보이는 순자가 보였다. 턱에 땀이 주르륵 흐르고 있었다. 순자는 들어오는 손님(나와 딸아이)에게 환영 인사를 하다가, 나와 눈이 마주쳐 반가운 웃음을 지었다. 우리는 순자 근처로 갔다.

"어서와, 딸이야?"

딸은 순자에게 인사를 했다. 마침 한 자리가 남아, 순자는 우리를 그곳으로 안내했다. 딸아이는 자허 토르테를 달라고 했고, 순자는 잠시만 기다리라 하고 케이크를 가지러 갔다.

"와, 쇼팽 야상곡 5번이네, 여기 배경음악. 한 때 엄청 들었던 곡인데."

딸아이는 배경으로 나오는 클래식의 선율에 따라 흥얼거렸다. 나는 멀리서 순자의 모습을 지켜봤다. 깨끗한 화이트 셔츠에 반짝이는 귀고리, 초롱초롱한 눈. 그 옛날, 쭈뼛한 모습은 어디로 가버렸을까.

맛있는 초코 케이크가 담긴 쟁반을 들고 우리에게 걸어오는 순자. 케이크는 오늘도 초코로 깔끔하게 코팅되어있었다. 나는 포크를 들어 케이크를 먹었다. 역시나 맛있다. 황홀할 정도로 맛있다.

이걸 만드는 데 얼마나 힘이 들었을까. 케이크를 어떻게 만드는 지 나는 잘 모른다. 무슨 재료가 들어가고, 어떤 과정을 거쳐야 하고, 얼마나 시간이 걸리는지. 순자가 최고의 비율을 고심하며 오랫동안 노력했을 걸 생각하니, 내 스스로가 경건해졌다. 나는 순자가 일구어놓아 잘 익은, 최고의 열매를 따먹은 거나 마찬가지였다. 오랜 인내와 노력과 최상의 재료로 빚어진, 알맞게 익었을 때까지 기다렸다가 순자가 낚아챈 열매. 기회, 재능, 경험의 집합체.

"이 케이크 이름이 뭐였더라?"

딸아이에게 물어보았다.

"자허 토르테. 또 까먹었어?"

중요한 것을 잊어버려 머쓱해진 나는, 묵묵히 케이크만 입으로 쑤셔 넣었다.

하늘
플라스틱

하고 싶은 것이 없다.

이 문장은 요즘 사람들이 흔하게 내뱉는 말이다. 나 역시 하루에 한 번씩은 내뱉으며 고개를 들어 하늘을 본다. 하늘은 변하지 않았다. 내가 아주 꼬꼬마였을 때나, 대학교를 졸업하고 올려보았을 때나, 회사에 첫 출근했을 때나, 하늘은 저 위에 그대로 변함없이 있다. 종이처럼 돌돌 말리거나 구겨지지 않는다. 흔들림 없이 언제나 하얀 구름과 수증기를 내뿜으며 굳건히 위에 고정되어 있다.

희망이란 무엇일까.

나는 가끔 무형적인 존재에 대한 생각을 많이 하는 버릇이 있다. 희망, 사랑, 우정, 정의, 사람간의 보이지 않는 관계 따위 말이다. 손에 잡히지 않는 것을 생각하는 것은 무형한 일일지도 모른다. 하지만 나는 원래부터 그렇게 생겨먹었다. 영원히 손에 잡을 수 없는 것을 손에 잡으려고 태어났다. 나 같은 사람이 몇몇 있을 거라고 생각한다.

시간이 너무 많이 흘러 사람들이 말을 너무 많이 뱉어낸 탓에 이제는 특별한 비유도, 상투적인 문장도 다 의미가 없게 되어버렸다. 이미 수많은 이야기와 문장들이 세계 속의 꽉꽉 차버렸다. 그래서 나는 평범한 말로 적어내려고 한다. 평범함과 비범함의 차이도 이제 불분명해져버렸지만 아무도 그것을 눈치 채지 못한다.

삼청동에 오르막길을 오르면 오래된 건물의 정독도서관이 자리 잡고 있다. 빛바랜 건물 앞에는 수많은 의자들이 설치되어있고, 잘 다듬어진 향나무가 마음을 포근하게 해준다. 그 의자에 앉아 땅에 오랫동안 박혀있는 나무들을 본다. 그리고 또다시 하늘을 본다. '하고 싶은 것이 없다.'

그렇게 멍 때리며 있는데, 자유로운 영혼의 소유자로 보이는 한 남자가 눈에 띄었다. 나사가 살짝 풀린 책벌레처럼 생겼다. 그에겐 자신은 대단한 것을 이룰 것이라는 생각이 밖으로 뿜어져 나올 기세였다. 나는 그에게 가서 말을 걸었다.

당신은 하고 싶은 것이 뭔가요?

그는 이렇게 대답했다.

-저는 소설을 쓰고 싶어요.
그래서 이 도서관을 들락날락 하는 건가요?
-그렇죠. 책을 많이 읽어야 좋은 소설을 쓸 수 있어요.
책을 많이 읽으면 좋은 소설을 쓸 수 있어요?
-네.
왜 그렇게 생각하죠?
-다독과 다작은 좋은 소설을 쓸 수 있다고 책에 나와 있어요.
그것이 정답이 아니라면 어떻게 할 거에요?
-네?
책을 아주 많이 읽고, 아주 많이 쓰면 누구나 다

좋은 소설을 쓸 수 있는 것이 정답이 아니라면 어떻게 할 거냐구요.

-아니요. 그건 확실한 답이에요.

누가 그래요?

-여러 작가들이요.

그는 희망에 가득 찬 눈으로 말했다. 나는 고약하지만 그 희망을 좀 뒤흔들어보고 싶은 생각이 들어 계속 말을 이어갔다.

여러 작가들과 당신은 다른 사람인데 왜 그게 정답이라고 생각하는 거예요?

-왜냐면 많은 사람들이 입증한 것이고, 작가들도 그렇게 해서 소설을 써서 작가가 된 것이고, 소설을 연구하는 사람도 그렇게 말했어요. 소설뿐만이 아니라 다른 것을 하더라도 견본을 봐야 어떻게 할 수 있는지 감을 잡을 수 있잖아요.

그러면, 그렇게 견본을 보고 쓴 것이 '좋은' 소설이라고 할 수 있어요? 하나의 복제품이지 않나요?

내 말에 그는 당황하여 아무 말하지 못했다. 나는 그 당황한 모습에서 재미를 느꼈다.

내 말이 맞지 않아요? 아까 당신이 많은 책을 읽으면 좋은 소설을 쓸 수 있다면서요. 그 많은 소설을 읽고 거기서 장점을 추려서 새로운 소설을 쓰는 것이, 결국은 퍼즐처럼 다시 짜 맞추는 작업 아닌가요? 물론, 아무도 눈치 채지 못하고 퍼즐 모양이 달라진다면 그것은 보기에 좋은 소설이라고 눈속임할 수도 있겠죠. 안 그래요?

그는 이제 쥐 죽은 듯 내 말을 듣고만 있다. 선생님의 설교를 잘 듣는 착한 학생처럼.

그런 생각은 안 해봤어요? 소설을 많이 읽으면 자신만의 특이한 성질이 없어질 것이라는 생각? 거대한 파도 속에 맨 몸을 던지는 행위라구요. 파도에 휩쓸려 이리저리 떠다니면 결국에는 여기가 어딘지도 모르는 꼴불견 만신창이가 되겠죠.

-괜찮아요. 저는 희망이 있어요. 꼭 해낼 거라는 희망이요.

아, '희망'이요? 무슨 근거로 희망을 가지고 있는 거죠?

-제가 쓴 소설을 주위 사람한테도 보여주고, 글을

좀 쓰는 사람한테도 보여줬는데, 제 글이 좋다고 했거든요.

　그럼, 주위 사람이 모두 '이 소설은 최악이야!'라고 하면 희망이 없겠네요?

　-그래도 전 희망이 있어요.

　눈이 반짝거리는 그는 묵직해 보이는 가방의 끈을 손으로 질끈 쥐었다. 아마 저 가방 안에는 책들이 가득히 있을 것이다.

　당신이 할아버지가 됐을 때까지 좋은 소설을 쓰지 못해도 희망이 남아 있을까요?

　-근데 저한테 다짜고짜 왜 이러시는 거예요?

　저는 하고 싶은 게 없어서, 궁금해서 물어본 거예요. 하고 싶은 것이 엄청 많아 보이길래요.

　-하고 싶은 것이 없으면 절망스러울 것 같아요. 상상도 하기 싫네요.

　그래서, 쓰고 싶은 소설의 방향이라도 있어요?

　-사람들에게 희망을 주는 소설을 쓰고 싶어요.

　거짓된 희망을 주는?

　-뭐라구요?

　아니에요. 이제 가던 길 가세요.

-방금 뭐라고 하셨어요?

거짓된 희망이라고 말했어요.

-희망은 거짓되지 않아요.

그걸 어떻게 알아요?

-왜 이렇게 꼬이셨어요?

하고 싶은 것이 없어서 그런가 봐요.

-그럼 찾으면 되잖아요.

꼭 찾아야 돼요?

-없는 것보단 나을 걸요? 하고 싶은 것이 있다면 희망이 생기고, 희망이 생기면 세상을 이롭게 하는 행동을 해서 좀 더 나은 세상이 될 거에요.

있잖아요, 당신은 지금 당신이 한 말에 대해 각각 정의를 내릴 수 있어요? 세상을 이롭게 하는 행동이 무엇이고, 좀 더 나은 세상은 어떤 것인지 대해서요.

-모두가 행복한 세상이 되는 것이 좋은 것이겠죠. 그것을 위해 하는 행동이 세상을 이롭게 하는 것이고.

그럼, 모두가 행복한 세상은 어떤 것인데요?

-모두가 배불리 먹고, 좋아하는 일을 하고, 사랑하는 사람들과 함께 시간을 보내는 세상이요.

아주 정답만 딱딱 말하네요. 당신은 아주 좋은 소설을 쓰겠어요, 안 그래요?

-네. 좋은 소설을 쓸 거예요.

아니, 좋은 소설이라는 정답에 맞는 소설을 쓸 거라구요. 당신이 정말 소설을 쓰고 싶다면 그런 썩어빠진 고정관념부터 버려야 될 것 같네요.

-도대체 저한테 왜 이러세요. 처음 본 사이잖아요. 왜 제 희망을 뺏으려는 거죠? 전 이제 그만 갈게요. 아, 혹시 그런 사람이에요? 이렇게 하고선 이상한 종교를 믿으라고 말할 거죠? 종교를 믿으면 다 잘될 거라고 할 거잖아요. 다 알아요. 전부터 많이 당해봤어요. 저 그런 거 안 믿어요.

저 그런 거 아닌데요. 그나저나 이상한 종교는 안 믿고 이상한 희망은 믿는 거예요? 저기요, 지금 도망치는 거예요?

그는 내 말을 무시하고 책이 가득 든 가방을 보물이라도 들은 듯 꼭 손에 쥐고 언덕을 내려갔다. 나는 그 모습을 보며 큭큭 웃어댔다. 아무래도 나는 사디스트일지 모른다. 그는 희망이 사라져버렸을까? 그렇게되면 그가 좀 더 나은 소설을 쓸 수 있지 않을까? 나는 소설을 쓰는 방법 같은 것은 모른다. 이 세상에 정답이라곤 없다고 믿는 사람이다. 하지만 그런 내 믿음도 역시 정답이 아니라고 생각한다. 한 마디로 아주 혼란스러운 정신을 가지고 있다. 말의 정의를 잃어버렸다. 이런 모호함을 가지고 사는 것은 쉬운 일이 아니다. 내 머리 위에 하늘과도 같다. 태풍이 와 거센 바람이 불 때도 있고 격렬한 폭우가 내릴 때도 있고 먹구름이 잔뜩 낄 때도 있고 눈부시게 빛날 때도 있다. 머릿속에 이런 하늘을 가지고 있지 않다면 플라스틱 머리나 마찬가지다. 간편하고 용이하고 실용적이지만 가짜다.

나는 이제 의자에 누워 얼기설기 엉켜있는 포도덩굴 사이로 하늘을 본다. 오늘 하늘은 단순하게 푸르기만 하다. 사람들의 마음속에 있는 파랑새가 날아다니기에 딱 좋은 날씨다. 나는 가만히 눈을 감고 어젯밤 클럽에서 만나 같이 춤을 춘 여자를 떠올렸다.

금요일 이태원. 외국인과 들뜬 느낌, 이십대 중후반에서 삼십 대가 많은 거리. '불금'이라는 단어는 성공했다. '불금' 덕분에 불경기인 거리에 활기가 넘쳐나기 때문이다. 나도 역시 '불금'의 무리에 합류하여 술을 마시고 유명한 클럽에 갔다. 음악으로 가득 찬 공간에서 아무 생각 없이 술을 홀짝이며 눈에 불을 켜고 이성을 찾아다니는 모습이 흡사 성욕만 남아있는 좀비와도 같다. 나 역시 그렇게 보일 것이다. 하지만 그런 생각도 이 쿵쿵 울리는 비트에 묻혀버린다. 음악과 술만 있으면 완전히 다른 세상에 갔다 올 수 있다. 게다가 '여자'도 있다면. 걱정과 골치 아픈 일이 없는, 가끔 추상적인 것을 생각하는 버릇도 없는 다른 세상.

이 클럽은 여자보다 남자가 더 많아서 맘에 드는 여자를 찾는 데에 거치적거렸다. 진 토닉을 마시며 의자에 앉아 여자를 훑어보고 있는데 한 여자가 내게 와서 말을 걸었다. 이십 대 후반의 여자들이 많이 오는, 이 클럽에 어울리지 않게 어린 여자애였다.

-아저씨, 뭐해요?
여자구경하고 있어.
-뭐 마시고 있어요?
진 토닉.
-그거 맛있어요? 전 아직 칵테일 초보라서.
먹어볼래?

나는 아직 반 정도 남은 진 토닉을 여자애에게 건네주었다. 여자애는 그걸 마시더니 얼굴을 찌푸렸다.

-웩. 그냥 술이잖아. 전 달달한 칵테일이 좋아요.
난 깔끔해서 좋은데. 근데, 너 혼자 왔니?
-아니요, 친구랑 왔는데 친구가 다른 남자랑 노느

라 절 버렸어요.

여자애는 서툴게 아이라인을 그린 눈을 게슴츠레
뜨며 입을 삐죽였다.

술 사줄까?
-네! 좋아요! 맛있는 걸로 사주세요!

나는 피식 웃으며 바텐더에게 잭콕을 하나 주문했
다. 잭콕이라면 맛있어하겠지. 콜라 맛이 주를 이루니
깐. 말쑥하게 차려입은 바텐더가 잭 다니엘을 집은 모
습이 왠지 모르게 세련돼보였다. 나도 바텐더나 해볼
까.
잭콕이 나와 여자애에게 건네줬다. 여자애는 그걸
마시고선 또 얼굴을 찌푸렸다.

-이건 그냥 콜라잖아요!
콜라 속에 응축된 잭 다니엘의 맛이 나지 않니?
-몰라요. 저 술 몰라요. 그래도 맛이 있긴 한데, 제
가 생각했던 맛있는 칵테일은 아니네요.
네가 생각한 맛있는 칵테일이 뭔데?
-음, 달콤하고 시원하고, 마시면 밤바다를 걷는 로

맨틱한 기분이 들며, 도수도 높아서 한 모금으로도 긴장이 스르르 풀리는 그런 칵테일이요. 마음의 족쇄를 녹이는 그런 칵테일.

내가 그런 칵테일이야.

-아저씨 같은 개그하지 말아요. 기분 잡치거든요?

그 어린 여자애는 꽤 재밌는 아이였다. 화장은 서툴지만 뽀얀 피부가 빛이 났고, 생동감이 넘치고 말하는 데 거침이 없었다. 빨간 립스틱을 바른 얇은 입술로 이 어두운 지하 속 클럽과는 어울리지 않는 상쾌한 웃음을 지었다. 그녀를 밝은 곳에서 보고 싶었다.

밖에 나갈래?

-음, 아직 나가고 싶지 않아요. 저 사실, 오늘 처음으로 클럽 온 거거든요.

너 몇 살이야?

-저 스무 살이요!

젊다. 좋을 때네.

-그런 시시한 말 하지 마요. 그런 소리 맨날 듣거든요?

나중엔 시시한 말도 새로운 말도 다 똑같아져. 그래서 늙은 사람들이 맨날 시시한 말을 하는 거야.

-아저씨는 몇 살인데요?

난 스무 다섯 살이야.

-거짓말하지 마요.

정말이야. 나 스무 다섯 살이야. 그리고 오늘 다니던 회사도 그만뒀고.

사실, 내 이십대는 이미 흘러가버렸고 회사는 아직 다니고 있다. 나는 술을 꽤 많이 마셨고, 몸뚱아리를 흔들어대는 저 시끄러운 비트에 머리가 텅 비어서 아무 말이나 지껄였다. 오늘은 불금이다.

-회사를 왜 그만둬요?

그만두라고 있는 게 회사야. 결국엔 모두 다 그만두게 되지.

-그럼 이제 뭐 할 건데요?

영원히 죽어서도 지속할 수 있는 것. 절대 그만둘 수 없는 것. 어떤 것에도 흔들리지 않는 것.

-에이, 그런 게 어디 있어요. 이상한 소리하지 마요.

몰라. 어딘가 있겠지.

-희망은 있나 보네요?

그런 희망이라도 있어야지. 난 아주 희망찬 사람이

야.

　-나는 아무 것도 하고 싶은 게 없는데.

　나랑 똑같네. 사실 나도 그래.

　-그럼 기념으로 우리 춤이나 춰요.

　그녀는 손을 잡고 나를 끌어당겼다. 남자와 여자가 섞여서 춤을 추고 있는 무리에 우리도 섞여서 리듬을 탔다. 고막이 터질 것 같았고 머리가 어지러웠다. 여기선 오직 몸만 의미가 있었다. 찰랑거리는 머리카락, 흔들거리는 가슴과 엉덩이, 서로의 피부를 만지는 손끝, 같이 똑같은 행동을 하고 있는 다른 남녀를 보는 눈. 난 그녀와 가볍게 피부를 맞닿으며 춤을 췄고 조그마한 희망이 생기는 것을 느낄 수 있었다. 어쩌면 껍데기뿐이 아닌, 정말로 기쁨을 느낄 수도 있을지 모른다는 희망.

　이제 밖에 나갈까?

　-저 지금 좋은데요? 클럽이 이런 곳이구나!

　그녀는 신나서 미치겠다는 웃음을 지으며 뒤로 돌아, 내 다리에 엉덩이를 살짝 스치며 몸을 흔들었다. 나를 꽉 잡은 두 손은 놓지 않았다.

그 이후로는 사실 잘 기억이 안 난다. 싹둑싹둑 잘려나간, 단면들만 기억날 뿐이다. 술도 못 마시면서 많이 마신 탓이다. 결국 그녀와는 클럽에서 대화를 나누고 춤을 춘 것이 다였다. 그녀는 친구와 집에 가야 한다며 나가버렸고, 나는 다른 여자들과 계속 비비적거리다가 또 술을 시켜 마시고 몸을 음악에 절였다. 새벽 네 시 넘어서 클럽을 나와 지하철역으로 들어가 첫차를 기다렸다. 택시는 타고 싶지 않았다. 그렇게 빨리 집에 가고 싶지 않았다. 의자에 옆으로 누워 스크린도어에 비친 내 모습을 바라보았다. 내 머리에 블랙홀이라도 있는 것처럼 온 세상이 빙글빙글 돌며 내 머릿속으로 빨려 들어왔다. 지하철에 하늘이 보이지 않는 것이 아쉬웠다. 첫차가 들어오자 비틀거리며 텅 빈 열차 안에 들어갔다. 한동안 열차는 움직이지 않았고, 나는 차가운 스테인리스 의자에 앉아 아무도 없는 열차를 물끄러미 바라보았다. 멀리서 클럽의 어린 그녀가 내게로 오는 것이 보였다. 그녀뿐만이 아니라, 나를 스쳐지나갔던 여자들과 그녀들의 나체가 보였다. 그녀들은 지쳐있는 내 몰골을 아무 표정 없이 바라보았다. 그 여자들 속에서 클럽의 어린 그녀만 생기가 넘치며 내게 말을 걸었다.

아저씨는 거짓말쟁이야?

어린 그녀는 폴짝폴짝 멀리 사라지고 나체의 여자들만 나를 둘러쌌다. 좀비 같은 그녀들을 헤치고 달려가 어린 그녀의 손을 잡고 싶었다. 하지만 그럴 수가 없다. 모두 다 환영에 불과하기 때문이다.

나는 지금 도서관 벤치에 누워 하늘을 보며 그 말을 떠올렸다.

아저씨는 거짓말쟁이야?

그녀가 그런 말을 클럽에서 했었나? 아니면 술에 취해 그냥 떠오른 말인가? 나는 그 말이 자꾸 머릿속에 맴돌았다. 왜 그녀가 내게 그런 말을 했다고 생각하는 걸까. 나는 분명히 착각하고 있다. 그녀는 그런 말을 한 적이 없다. 내가 아무리 술에 취했어도 그것만큼은 기억할 수 있다. 아니다. 어쩌면 했을 수도 있다. 그러면 그녀는 처음 보자마자 나를 정확히 꿰뚫어 본 것이다. 나는 거짓말쟁이다. 이것도 거짓말일 수도 있고 아닐 수도 있다. 모든 것이 진실일 수도 있고 거짓일 수도 있다. 내가 지금 바라보고 있는 하늘도 어쩌면 거짓 하늘일 수도 있지 않을까? 단지 환상을 비추는 영상. 손에 잡히지 않는 무의미한 공간. 영화 '트루먼 쇼'에서처럼 하늘에 문이 달려있는 것도 아니다. 차라리 트루먼이 나을 수도 있겠다. 이곳을 벗어나리라는 희망을 가지고 있으니 말이다. 무언가 열중할 것이 있고.

언제부터 내가 이렇게 된지는 모른다. 자연스럽게 시간이 흐르고 입을 벌리며 멍 때리는 것이 낙이 되었다.

내게 희망은 없다. 희망은 갓 태어난 아이의 눈물 속에, 어린 여자애들이 엄마의 립스틱을 몰래 바르는 행동 속에, 처음 보는 책의 문장 속에 들어있다. 나는 이제 죽음에서조차 희망을 찾을 수 없게 되었다.

단지 하늘만 보며 상상할 뿐이다. 저 하늘이 플라스틱이라면 나는 어떻게 되었을까, 하고. 그럼 플라스틱 하늘을 바라보는 모든 사람들도 플라스틱이 되었을까? 바다도 플라스틱, 땅도 플라스틱, 땅에서 나는 각종 채소들도 플라스틱, 꽃도, 벌도, 나비도, 호랑이도 전부 플라스틱이면 어떨까. 마치 수공예자가 인공물로 조그마한 지구 세계를 만든 작품처럼 됐을 것이다. 정말 실제처럼 실감나지만 결국에는 가짜인. 그런 것은 가짜라고 해야 할까, 진짜라고 해야 할까? 풍경을 서

정적으로 옮겨놓은 모네의 작품을 '진품'이라고 하긴 하는데, 그러면 이 세상에 가짜란 것이 있을까?

아무 것도 정하지 않은 모호함 속의 자유. 자유라는 것은 구속이 없는 상태라고 누군가 말했었지만, 사람은 그 경지에 다다르지 못한다. 구속된 것이 없는 상태는 곧 지옥에 있는 것과 다름이 없고, 지옥은 악마가 사는 곳이다. 즉, 악마만이 자유를 누릴 수 있다. 하지만 지옥이나 악마는 사람이 만들어낸 개념에 불과하다. 그러니깐, '일반적인' 사람에게 자유라는 것은 구속된 상태에서 가능한 것이다.

나는 어젯밤의 그녀에게 구속되고 싶었다.

숙취로 피곤한 나머지 나는 의자에 누운 채로 스르르 잠에 들어버렸다.

눈을 뜨니, 벌써 해가 저물고 있었다. 어안이 벙벙했다. 하긴, 밤을 거의 샌 것이나 다름이 없으니, 죽은 듯이 잠들었던 모양이다. 몸을 일으켜 도서관의 언덕을 내려와 비틀거리며 걸었다. 오늘이 토요일이라 길거리에는 손을 꽉 잡고 돌아다니는 연인들이 많았다. 그러다 왼편에 거대한 건물과 건물 앞에 있는 돌담길

이 엿보였다. 거대한 건물의 정체는 국립현대미술관이었다. 나는 무언가에 이끌리듯 미술관으로 들어갔다. 검은 정장을 입은 여자 직원에게 표를 사려고 했더니, 토요일 7시 이후는 무료입장이라고 했다. 그래서 그냥 들어갈 수가 있었다.

에스컬레이터를 타고 지하에 내려가니, 아주 넓은 공간과 그 공간을 채우고 있는 예술작품들이 많았다. 이상하게도, '플라스틱'이라는 단어가 내 머릿속에서 떠나지 않았다. 그런 날이 있지 않나. 무언가에 계속 집착하고, 그것에만 초점을 맞추어 세상을 보게 되는 그런 날. 흔히, 누군가가 그리우면 주위에 모든 것을 그 사람과 연관시키는 것처럼. 마침 그 날이 오늘이었다. 나는 이 다양한 예술작품들과 사람들이 플라스틱과 다르지 않다고 생각되었다. 이 건물의 하얀 벽도, 전시를 설명하는 글자들도 다 플라스틱처럼 보였다. 어디서든지 플라스틱을 발견했고 플라스틱 말고는 아무런 생각이 들지 않았다. 오직 플라스틱. 나는 화장실에 가서 지퍼를 내리고 소변을 봤는데, 그 물줄기도 플라스틱이라고 생각되었다. 가공된 플라스틱. 하긴, 소변도 내 몸 속 장기들이 가공한 것이니깐 틀린 말은 아닐지도 모른다.

플라스틱과 미술관에 있는 예술작품들, 모네의 그

림. 전부 인공적이다.

너무 플라스틱에 집중한 나머지, 속이 메슥거려 잠시 의자에 앉아 있는데, 저 멀리서 한 여자가 내 눈에 들어왔다. 조그맣고 아직 고등학생으로 보이는, 싸구려 옷을 입고 서툰 화장을 하고 천진난만한 웃음을 짓는 여자아이. 어젯밤 클럽의 여자아이였다. 그 여자아이를 발견한 순간부터 내 머리엔 플라스틱이 아예 없는 존재가 돼버린 것 같았다. 그런 개념 자체가 삭제되어버렸다. 너무나 놀라운 순간이었다.

여기서 우연히 만날 줄이야.

그녀도 나와 눈이 마주치곤 깜짝 놀란 눈을 했다. 그녀 옆에 있던 또래의 남자애는 제자리에 멈춰있는 그녀를 보고선 무슨 일이냐고 물었다.

그녀와 남자애는 손을 잡고 있었다.

그녀는 잠시 나를 쳐다보더니 우리 사이에는 아무 일도 없었다는 듯 무시한 채 내 앞을 지나갔다. 남자애는 다정하게 그녀의 어깨에 손을 올리며 머리를 쓰다듬었다. 그 모습을 본 나는 플라스틱처럼 굳어버려 둘의 뒷모습만 멀뚱멀뚱 쳐다만 볼 뿐이었다.

오직 그녀만이 플라스틱이 아니었다. 그녀를 붙잡고 싶었지만 내 몸이 움직일 생각을 하지 않았다. 난 이미 그녀에게 플라스틱이나 다름없었다.

아저씨는 거짓말쟁이야?

그녀의 목소리가 귓가에 맴돌았다. 그래, 난 거짓말쟁이야. 이미 수많은 거짓말을 했고 앞으로도 거짓말을 할 예정이야. 왜냐면 플라스틱처럼 실용적이거든. 하지만 너와 만났던 짧은 순간에는 거짓말을 하지 않았어. 네가 마신 잭콕과 한모금의 진 토닉도 거짓말이 아니야.

그녀는 실밥이 풀린 치마를 입고 있었다. 그녀 옆의 어설픈 남자는 어설프게 웃음을 짓고 있었다. 발랄하게 날씬한 다리를 움직이며 그녀는 내게서 멀어졌다. 이젠 그녀가 아예 보이지 않았다. 나는 그녀가 미술관 안에 있는 예술작품들을 어떻게 보았는지 묻고 싶었다. 그것들에 대해 어떻게 생각하고, 하늘을 보면 어떤 느낌이 드는지 물어보고 싶었다. 무슨 책을 좋아하고 어떤 영화를 봤는지 궁금했다. 발의 치수는 몇이고 귀는 뚫었는지 확인하고 싶었다. 또, 혹시 몸에 숨겨진 흉터라도 있는지도. 어디를 간질이면 눈을 찌푸리고 장난스럽게 웃으며 간지럽다고 소리를 지를지, 무슨 색을 좋아하는지, 내가 좋아하는 티라미수를 그녀도 좋아하는지 알고 싶었다. 이렇게 평범하고 상투적인 것들을 난 알고 싶었다. 아무래도 상관없었다. 상투적이든, 남들과 똑같든, 특이하고 새롭든, 중요한 것은 그게 아니었다.

그녀가 사라진지 한참 뒤에 밖으로 나왔다. 이미 짙은 남색으로 변해버린 하늘이 보였다. 딱딱하고 차갑게 굳은 하늘은 나를 힘껏 짓누르며 괴롭게 했다.

하고 싶은 것이 없다. 정말이지 하고 싶은 것이 없다. 아무 것도…

하나의 플라스틱 덩어리처럼 검게 굳어버린, 하늘을 닮은 플라스틱 하늘은 오늘도 내 머리 위에서 하루의 끝을 알렸다.

누군가의 마음을 읽어낼 수 있는 능력이 나에게 주어진다면 얼마나 좋을까? 만약, 내가 원하는 한 사람의 마음을 읽어낼 수 있는 능력과, 나 자신의 마음을 읽어낼 수 있는 능력 중에 선택해야 한다면 어떤 것을 선택해야 할까? 내가 원하는 한 사람이라고는 했지만 내가 정말로 그 사람을 원한다고 느끼는 감정이 맞는 것일까?

내가 이런 물음을 던졌더니 친구는 말했다.

"일단, 네가 그 사람을 어떤 식으로 원하는데?"

어두컴컴한 바 안. 나는 맥주를 한 모금 마신 다음 턱을 괴고 테이블 위에 있는 일렁이는 촛불을 바라보았다. 촛농이 초를 받치고 있는 크리스털 그릇에 뚝뚝

떨어진다.

"매일 고되게 일과를 마치고 들어오고 나면 집에 그 사람이 있는 거야. 그 사람은 요리도 못하는데 저녁도 차려놨어. 저녁 메뉴는 김치볶음밥이야. 밥 위에는 덜 익힌 반숙 계란 프라이가 올라가있고. 반찬은 한 두 가지 정도. 콘옥수수랑 명란젓이면 좋겠어. 나란히 앉아서 같이 밥을 먹는 거야. 그리곤 나는 설거지를 하고 그 사람은 청소를 하지. 그 후 우리는 나란히 욕실로 가서 따뜻하게 욕조에 들어가 서로를 씻겨주고 오늘은 배가 얼마나 불렀는지, 얼굴에 뾰루지가 올라왔는지, 등에 있는 점은 얼마나 더 커졌는지 관찰할 거야. 몸을 깨끗이 씻고 나면 폭신하고 큰 침대 위에 앉아 나는 사강의 소설을 읽고 그는 아이패드로 자동차에 관련된 인터넷 기사를 읽겠지. 그 사람은 차를 좋아하니까. BMW에 새로운 기종이 나왔다며 내 옆구리를 쿡쿡 찌르면서 보여주는 거야. 내가 멀뚱히 아이패드를 쳐다보면 그는 내 볼에 뽀뽀를 하고. 그러면 나는 그의 볼에 뽀뽀를 하고. 그리고 입에다 뽀뽀를 하고. 그러다 그는 내 목덜미를 혀로 핥고 위로 올라와 오른쪽 귓바퀴를 살짝 깨물고. 나는 간지러워서 웃으며 그 사람에게서 얼굴을 떼고. 이제 그 사람은 손에 들고 있는 아이패드를 바닥에 놓고 나는 소설을 덮

겠지. 그리고 우린 꼬옥 안고 자는 거야. 매일 밤마다. 원래 손발이 차가운 나는 매일매일 따뜻하게 자겠지. 나는 그 사람을 이런 식으로 원해."

내 대답을 듣더니 반 정도 남아있던 맥주를 단숨에 마시는 친구. 잔을 비우더니 종업원을 불렀다.

"어떤 걸로 드릴까요."

"잭콕 주세요."

종업원은 고개를 끄덕이며 돌아갔다.

"그 사람 사랑해?" 친구가 말했다.

"그니까. 그거를 모르겠어." 내가 대답했다.

"저런 식으로 원한다는 건 사랑한다는 거 아닐까?"

잭콕이 테이블 위에 놓여졌다. 친구가 잭콕을 먹는 모습을 보고 나도 갑자기 잭콕을 먹고 싶어져, 맥주가 반이나 남아있는데도 잭콕 한 잔을 더 주문했다.

"너는 너의 그 사람을 어떤 식으로 원하는데?" 내가 물었다.

"그 사람이 지금 당장 나에게 전화가 왔으면 좋겠어. 전화를 걸고는 누구랑 어디서 무얼 하고 있는지, 언제 집에 들어 갈건지 묻는 거야. 나는 내가 왜 이런 것까지 알려줘야 하냐고 짜증을 내면서 꼬박꼬박 대답을 해주겠지. 그리고 그 사람은 일방적으로 전화를 끊어버려. 나는 이미 끊겨진 전화에다가 고래고래 욕을

쏟아붓겠지."

"근데 너는 웃고 있을 거야."

"맞아. 웃고 있을 거야. 아주 행복하게. 그리고 나는 너와 헤어진 다음 집 앞에 도착했는데, 집 앞에 그 사람이 기다리고 있는 거야. 왜 이렇게 늦게 오냐고 나한테 화를 낼 거야."

"그 사람은 이미 담배 한 갑정도 폈겠지."

"맞아! 담배 껍데기와 꽁초가 바닥에 굴러다니겠지. 그는 나를 보자마자 거칠게 안을 거야. 음, 여기까지."

"그래. 그나저나 잭콕 오랜만에 먹으니까 맛있다."

"응. 맛있네."

그리고 우리는 아무 말이 없었다. 친구는 핸드폰을 만지작거렸고 나는 여전히 촛불을 보고 있다. 저 촛불도 나를 보고 있을까.

친구는 담배를 꺼냈다.

"너 담배 펴?" 나는 놀라며 말했다.

"응. 오늘부터 피기로 했어."

"왜?"

"그 사람의 마음을 알려고."

"그 사람의 행동을 따라하면 마음도 알 수 있나."

"몰라."

나는 어이가 없어져 웃음이 나왔고 내 웃음을 보더

니 친구도 따라 웃었다. 벌써 둘 다 잭콕을 다 먹었다. 두 잔 더 주문한다. 나는 친구의 담배 상표를 쳐다보았다. 일반 슈퍼에서 보는 것이랑은 달랐다.

"이거 우리나라에서 파는 거야?"

"아니, 독일에서 파는 거야. 그 사람이 줬어."

일반 담배갑보다 더 얇았고 색감이 고급스러워보였다. 그 안에는 아주 독하고 맛있는 하얀 마법의 담배가 있을 것 같았다. 담배의 굵기는 얇았다. 마치 그 담배는 마른 남자의 균형 잡힌 근육을 연상시켰다.

"디자인 죽인다."

"그렇지. 그 사람과 닮았어. 담배 되게 독하네."

친구는 오만상을 찌푸리며 코와 입에 하얀 연기를 뿜어대며 말했다. 그 모습이 흡사 증기기관차처럼 보였다.

주문한 잭콕이 나왔다. 친구는 핸드폰을 한 번 더 쳐다보았다.

"연락 안 와?"

"응."

"응가."

"가리비."

"비구름. 내가 이겼네."

친구가 하얀 김을 토해내며 웃었다. 또 핸드폰을

만지작거린다. 나는 그 모습이 잠깐 싫증이 나서 주위를 둘러보았다. 오른쪽 테이블에는 남자 두 명이 붐베이를 먹고 있었다. 파란 바다 같은 색깔이 마음에 들었다. 나는 나도 모르게 바다에서 그 사람과 헤엄치는 상상에 빠져들었다. 그 사람은 수영을 잘할 것이다. 나는 그 사람 뒤에서 수영하는 모습을 쳐다볼 것이다. 우리 둘은 놀다가 나와서 모래밭에서 잭콕을 마실 것이다. 잔 속 얼음을 달그락 흔들며 지평선을 바라볼 것이다. 그리고 그의 까만 눈동자를 볼 것이다. 그 눈동자 안에는 내 모습이 보인다. 나는 빨간 비키니를 입고 있다. 그리고 엎드려 눕는다. 그 사람은 내 날개뼈에 있는 커다란 점에 살짝 키스를 한다.

　이런 상상에 빠져들게 하는 붐베이를 마시는 그 남자는 나를 흘깃 쳐다보았다. 나는 재빨리 눈길을 피해 아직 남아있는 맥주를 마셨다. 벌써 김이 빠져버려 나는 얼굴을 찡그렸다. 친구의 잔을 보니 벌써 비어있었고 그 안에는 담배 꽁초 두 개가 찌그러져 있었다. 그때, 말라 비틀어진 남자 종업원이 우리 테이블로 왔다.

　"여기 금연입니다. 손님."

　"그걸 왜 이제 말해요? 벌써 세 개나 피고 있는데." 친구가 어이없다는 듯이 말했다.

"자제 해주세요."

무표정으로 말하고는 다시 카운터로 돌아갔다. 친구는 짜증난다는 듯이 아직 남은 담배를 두 개의 담배가 담긴 빈 잔에 던져 넣어버렸다. 그러곤 웃음을 지으며 말했다.

"그 남자와 키스한 것 같아."

"왜?"

"그 남자가 담배를 많이 피니깐 키스할 때마다 담배냄새가 나거든. 근데 지금 내 입 안 가득히 담배 냄새가 나. 그래서 좋아."

세상을 다 가진듯한 미소를 짓는 친구. 그 눈빛은 어디로 향한지 모르겠다. 나는 내 손바닥 냄새를 맡아보았다. 그의 달큰한 살냄새가 아직 남아있었다.

나와 친구의 핸드폰은 우리가 원하는 사람에게서 연락이 오지 않았다.

"하던 얘기나 계속 하자." 내가 말했다.

"무슨 얘기하고 있었지?"

그 때, 옆 테이블에서 붐베이를 먹고 있던 남자가 우리 테이블 쪽으로 왔다.

"안녕하세요."

그 남자는 몸이 다부져 바위를 연상시켰다. 하지만 그 바위는 재미없게 생긴 모양은 아니었다. 단단해보이지만 곡선이 숨겨져 있고. 눈은 작지만 검게 빛났다. 그 빛에서는 밤에 피어오르는 흔한 욕망이 새어나왔다. 시뻘건 입술 안에서 꼬부라지는 혀는 우리를 끌어당기려는 언어를 뱉고 있다. 저 바위 같은 몸 안에는 푸른 바다색의 붐베이가 흐르고 있겠지. 저 입술에 가까이 가면 붐베이의 향이 나겠지. 위 아래로 훑어보는 내 친구. 내 친구의 눈빛은 나의 눈빛과 비슷했다. 내 친구의 생각도 나의 생각과 비슷할 것이다.

"네, 안녕하세요." 친구가 대답했다.

"둘이 오셨어요?"

"네."

"음. 음. 뭐 드시고 계셨어요?"

우리 테이블에는 아직 반 정도 남아있는 김 샌 맥주와 잭콕이 담겨져 있었던 컵 여섯 개가 있었다.

"이곳은 빈 잔을 잘 안 치워주네요."

"그러네요. 술 좋아하세요?"

"네. 저희 잭콕먹고 있었어요."

"잭콕 좋아하세요?"

"네."

"같이 드실래요?"

나와 친구의 눈이 잠깐 마주쳤다. 먹어도 그만, 안 먹어도 그만일 것이니 친구는 아마 먹자고 할 것이다.

"그러죠, 뭐."

친구의 말이 끝나자마자 바위 같은 남자는 종업원을 불러 합석을 하겠다고 말했다. 비쩍 마른 종업원은 붐베이를 우리 테이블로 옮겨주었다. 그 다음 그 남자의 친구가 내 옆에 앉아 우리에게 인사를 했고, 그 남자는 내 친구의 옆에 앉았다. 그 남자의 친구는 부드러운 모래알처럼 섬세한 외모를 가졌다. 피부가 희고 코가 잘생겼다. 하지만 어딘가 소심한 구석이 있는 것 같다. 섬세한 남자의 친구는 내게 붐베이를 따라주려고 빈 잔을 찾았다. 나는 재빨리 그 행동을 막아섰다.

"우린 잭콕만 먹어요."

뜬금없게도, 내 입에서 이런 말이 나온 것이었다. 친구는 흥미진진한 눈빛으로 나를 보았고 섬세하게 생긴 남자는 미간을 찌푸렸다.

*

몇 잔째인지 모르겠다. 바 안이 더 어두컴컴해진 것 같은 착시현상이 일어났다. 테이블에는 빈 유리잔으로 가득하다. 잭콕이 담겨있던 유리잔. 종업원은 여전히 빈 잔을 치워주지 않는다.

　몸이 다부진 남자는 내 친구의 어깨에 팔을 둘렀고 섬세한 외모의 남자는 나와 대화를 하고 있다.

　"둘 다 애인이 있다구요? 그런데 우리랑 이렇게 놀아도 되는 거예요?"

　소심한 표정을 하곤 남자가 물었다. 외모와 성격이 일치했다.

　"그럼요. 놀아도 되죠."

　"왜요? 이러면 안 되는 거잖아요."

　"왜냐면 나와 친구에게는 이미 애인이 있다는 걸 당신들이 알기 때문이에요."

　"그게 무슨 소리에요? 우리가 알기 때문에 놀아도 된다니?"

　"네. 한 번 곰곰이 생각해보세요. 그걸 알고 있는 것과 모르는 것은 천지차이에요. 우리를 대하는 행동과 마음가짐 자체가 달라지게 되잖아요."

　"그래도 술 먹고 외간남자들이랑 놀면 안되는 거잖아요."

　"누가 그래요? 안된다고. 세상의 반이 남자인데 어떻게 내외하고 살아요? 그건 항상 김빠진 맥주를 마시면서 사는 거나 똑같아요. 이미 우린 시원하고 맛있는 맥주의 맛을 알기 때문에 김빠진 맥주를 먹는 건 너무

괴로운 일이라구요."

나는 손에 반 정도 남은 김빠진 맥주를 들며 말했다. 남자는 대답할 말을 찾지 못했다. 내가 손에 든 맥주를 건네자 남자는 얼굴을 구기며 손사래를 쳤다.

친구는 몸이 다부진 남자의 어깨와 등을 연신 어루만지고 있었다.

"역시 남자의 몸은 이래야지."

칭찬을 아끼지 않는 친구. 친구의 입이 귀에 걸려 있다. 으쓱해진 남자는 종업원을 불러 잭콕을 더 시켰다. 종업원은 잭콕 네 잔을 들고 와 테이블에 놓았다. 하지만 여전히 빈 잔은 치워주지 않았다. 테이블에 빈 잔으로 가득 차, 촛불을 놓을 자리도 없어질 지경이었다. 우리는 컵을 겹쳐놓아(쉽게 겹칠 수 있는 구조였다) 한 쪽으로 치워놓았다.

"여기는 왜 잔을 안 치워주는 거야?"

소심한 남자는 투덜거렸다.

"그럼 치워달라고 말하면 되잖아요." 내가 말했다.

그 남자는 또 대답할 말을 찾지 못했다.

시시하긴, 나는 조용히 읊조렸다.

나와 친구와 다부진 남자는 잭콕을 원샷했다. 소심한 남자는 잭콕이 담긴 잔을 들지도 않았다.

"왜 안 마셔요?" 내가 물었다.

"이젠 정말 질려요! 도대체 몇 잔째에요. 다른 것 좀 마셔요."

"우린 잭콕만 마신다니까요?" 취기가 살짝 올라온 나는 말에 리듬을 부여했다.

"그러니까, 왜 잭콕만 마시냐구요. 왜 하필 잭콕이냐구요."

나는 대답하지 않고 종업원을 불러 잭콕 세 잔을 더 시켰다.

"또 시켰어요?" 소심한 남자가 이제는 짜증을 냈다.

"제 맘이에요. 그쪽은 다른 거 시키면 되잖아요."

"아니, 잭콕만 마신다면서요."

"정말 답답한 사람이네." 나는 코웃음을 쳤다. "자기가 강력하게 먹고 싶은 것이 있으면 그대로 밀고 나가면 되잖아요. 따로 종업원 불러서 주문해요! 내 말은 듣지 말고."

소심한 남자는 또 대답할 말을 찾지 못해 입을 다물었다. 그러다 자기 앞에 놓인 잭콕을 벌컥벌컥 마셔댔다.

저 정도면 병이네, 나는 생각했다.

친구는 다부진 남자의 몸을 끝도 없이 만져댔다. 미리 말하자면, 다음 날 친구는 이렇게 말했었다.

"그 몸을 아직도 잊지 못하겠어. 뭐든지 **탄탄**한 건 기억에 오래 남거든."

친구는 남자의 몸을 만지는 순간, 이미 알고 있었다. 기억에 오래 남을 것이란 걸. 그래서 저렇게 무한하게 만지고 있는 것이었다. 이 밤이 눈 깜짝할 새에 사라져 더 이상 현실에 존재하지 않는 어제가 되기 전까지.

우리는 취기가 한껏 돌았다.

*

"잭콕 좀 그만 마시죠…" 잭콕 다섯 잔을 마시고 취해버린 소심한 남자가 중얼거렸다.

"다른 거 주문하라니깐요?" 나는 목에 핏대를 세우고 소리쳤다.

남자는 또 아무 말이 없다. 그 모습이 너무나 답답하여 순간적으로 화가 치밀어 올랐다. 게다가 취하고 분별이 없어진 나는 남자의 목덜미를 덥석 잡고 얼굴을 들이대며 말했다.

"야, 네가 먹고 싶은 거 마음대로 주문하라고! 그게 그렇게 어렵냐. 네가 하고 싶은 데로 하라는 데 도대체 뭐가 문제야!"

남자는 바로 눈앞에 있는 내 얼굴이 무서웠는지 눈을 질끈 감고 대답했다.

"저, 사실 한 번도 주문해본 적이 없어서 못 하겠어요."

"식당에서 주문을 안 해봤다고?"

"네. 한 번도."

나는 남자에게서 서서히 떨어졌다.

"몇 살이라고 그랬지?"

"저 28살이요."

"그럼 28년 동안 가게에서 '저기요'라는 말을 단 한 번도 안 해본 거야?"

남자는 고개를 끄덕였다.

무심결에 옆을 바라보니 내 친구와 이 소심한 남자의 친구는 키스를 하고 있었다. 내 앞에 소심한 남자는 또 묵묵부답이다.

"주문하는 거? 엄청나게 쉬워. 그냥 손들고 필요한 걸 얘기하면 끝이야. 지금 한 번 해 봐."

그 남자는 이상하고 야릇한 표정을 지으며 종업원의 눈치를 보기 시작했다. 주문을 시도해보려는 것이었다. 하지만 계속 바라만 볼 뿐 입을 떼지 못했다.

"저를 이상하게 보면 어쩌죠?"

"저기, 사회생활은 정상적으로 해?"

"네. 회사 다녀요."

"근데 주문은 못 하겠어?"

"네. 주문만 못 하겠어요. 어렸을 때부터 항상 누군가 해줘서 이제 주문하려고 하면 너무 어색하고 뻘쭘하고 이상하고… 내가 내 자신이 아닌 것만 같아요. 주문하려는 내 모습이 상상조차 되지 않아요."

나는 더 이상 할 말이 없었다. 뭐, 그래, 그럴 수도 있는 것이다… 주문을 못하는 사람이 있을 수도 있지. 오랫동안, 한 번도 해보지 않았던 것을 하는 건 어려운 일이다. 그게 간단한 주문을 하는 것일지라도. 그렇게 생각하자, 갑자기 누구라도 이해할 수 있을 것 같은 마음이 들었다. 순간적으로, 몇 년 전에 잠깐 짧게 만났었던 한 남자가 생각났다. 그는 남의 말을 아예 듣지 않는 사람이었다. 귀가 들리지 않는 사람보다도 더 듣지 않았을 것이다. '귓등으로 듣는다'는 말이 실감나게 와닿았다. 이 점 때문에 우리는 서서히 멀어졌고, 돌이킬 수 없는 지경까지 되었다. 그 때는 이해하지 못했다(이해하지 못했으니 지금까지 만나지 않았겠지). 왜 남의 말을 귀담아듣지 않는지.

그는 한 번도 해보지 않았던 것이다. 남의 말을 새겨듣고 행동하는 것을.

"그 쪽은 잭콕만 먹잖아요!"

저 남자는 내가 잭콕만 먹는 이상한 사람으로 볼 것이다. 날 이해하지 못하겠지. 이런 사람을 한 번도 본 적이 없으니깐.

한 번은 중요하고 소중하다. 한 번은 디딤돌이 되고 받침대가 되고 경험이 되고 구름판이 된다. 위안을 삼을 수도 있고 위로받을 수도 있다. 믿음을 주기도 하고 의미를 부여해주기도 한다. 시간이 흘러 두고두고 생각할 추억이 되기도 하고 흉터로 남기도 한다. 시간을 정지시키거나 늘릴 수도 있다. 연장선상이 되고 분열하고 확장하고 압축시키기도 한다. 단 **한 번**의 행동. **한 번**의 생각. 거기에 모든 것이 들어있다. 완성과 과정, 감성과 이성, 상식과 비상식, 선과 악, 이해와 오해, 창조와 파괴, 소음과 음악, 그 모든 것이.

그 때, 내 핸드폰에 진동이 울렸다. 잭콕을 마시기전, 내가 친구에게 말했던 그 남자였다. 같이 밥을 먹고 목욕하고 같은 침대에서 잠을 자고 싶은 남자.

나는 전화를 받지 않았다. 지금은 왠지 받고 싶지 않았다. 사실, 다른 남자들이랑 놀면서부터 생각조차 나지 않았다. 나는 한 번도 이 남자의 전화를 받지 않아본 적이 없었다. 내 감정에 무슨 변화가 일어난 것일까?

"전화 안 받아요?" 소심한 남자는 내게 물었다.

대답대신 나는 종업원을 불러 잭콕을 한 잔 더 시켰다. 어느새 친구와 다부진 남자는 사라지고 없었다.

"가버렸어요, 둘이. 서로 부둥켜안고." 남자가 말했다.

"우리도 이제 가야죠."

"네? 어디를요?" 남자가 화들짝 놀랐다.

"어디론가 가야죠. 이동하고 싶어요."

나는 비틀거리며 일어섰다. 저 멀리서 방금 주문했던 잭콕 한 잔을 들고 종업원이 다가오고 있었다.

"저거, 그 쪽이 마셔요. 난 갈 테니깐."

"같이 가요!"

소심한 남자는 잭콕을 받아들여 벌컥벌컥 들이마시고 나를 졸졸 따라왔다. 가게를 나가려는데 종업원이 붙잡았다.

"손님, 계산하셔야 되는데요."

"아까 저희 일행이 계산 안했나요?"

"네, 그냥 나가셨는데."

나는 뒤를 돌아 소심한 남자를 쳐다봤다. 남자는 손가락으로 자신을 가리켰다. 내가 계산해야하냐는 의미였다.

"합석하자고 했으니 계산하셔야죠."

"그건 제 친구가 한 말인데. 저는 합석하고 싶지 않았어요."

"그럼 저보고 이걸 다 계산하라는 거예요?"

"일단 제 카드로 긁어야겠네요. 나중에 친구한테 돈 받죠, 뭐."

남자는 지갑에서 카드를 꺼내더니 나에게 내밀었다.

"이걸 왜 저한테 주는 거예요?"

"계산하라고 주는 거예요."

나는 헛웃음이 나왔다. "설마 계산도 못하는 건 아니죠? 종업원한테 내밀기만 하면 돼요."

"대신 해주세요."

"뭐라구요?"

"저, 계산하는 거 제 손으로 해본 적 한 번도 없어요."

나는 할 말을 잃었다. 한 번도 해본 적 없다니, 하는 수 없이 카드를 받아 계산을 하고 밖으로 나왔다. 나는 취해서 술을 깨려고 아무데나 걸어 다녔는데, 남자가 자꾸 나를 따라왔다.

"집에 안 가세요?"

남자는 내게 뭔가 할 말이 있는 눈치였다. 십 분정도 더 걸었을 때, 남자는 입을 열었다.

"저, 왜 잭콕만 드시는 거예요?"

"그게 궁금해서 따라오고 있었던 거예요?"

남자는 고개를 끄덕였다.

"그거, 사실 별 의미 없어요. 그냥 되는대로 말한 것뿐이에요."

"별 의미 없는데 잭콕을 일곱 잔이나 마실 수 있어요?"

"꼭 의미가 있어야 연달아 마실 수 있나요? 소주를 두 세병 마신 것과 잭콕을 일곱 잔 마신 것은 똑같아요. 그냥 마시는 거죠."

"그러니깐, 많고 많은 칵테일 중에 왜 하필 잭콕이에요? 무슨 사연이 있는 건 아니에요?"

"은근히 집요하시네. 그냥 마셨다니까요."

"분명히 무슨 의미가 있을 텐데… 제가 궁금한 건 무조건 알아야하는 성격이라서요, 그냥 말씀해주시면 안 될까요?"

"그럼, 오늘 한 번 그 성격을 접어보세요. 모르는 건 모르는 대로 놔둬보는 거예요."

"안 돼요. 알아야 해요."

나는 이제 이 사람한테 진저리가 났다. 도망치고 싶어도 자꾸만 따라오는 바람에 하는 수 없이 애인한테 전화를 걸어 도움을 요청해야 했다. 이런 적은 처

음이다. 다른 남자랑 있을 때 애인한테 먼저 전화를
거는 것 말이다.

멀리 있지 않던 애인은 삼십 분 내로 와서 내게서
소심한 남자를 떼어주었고, 대가로 구박을 들어야했다.
술 먹고 왜 다른 남자를 만났냐, 전화는 왜 안 받았
냐, 투덜대며 화를 내는 그. 잔소리를 듣기 싫은 나는
단지 집으로 가서 자고 싶을 뿐이었다. 아무 것도 하
고 싶지 않았다. 체력이 바닥 나 변명할 기운조차 없
었다. 귓등으로 애인의 말을 들으며 나는 걸음을 재촉
했다. 잘 가라는 인사도 제대로 안하고 집으로 들어가
바로 자버렸다.

*

다음 날 아침, 문자가 두 통 와있었다. 한 통은 애
인이었다.

'난 너를 정말 모르겠어.'

뭐라고 답장을 해야 할지 골치가 아팠다. 아침에
눈 뜨자마자 보는 게 이런 거라니.

그래, 나도 너를 모르겠어. 나도 나를 모르겠고 내

가 너를, 그리고 너도 나를 정말로 원하는 지도 모르겠어. 지금 이 상황도 다 처음이고 너를 만날 때마다 변하고 있는 내 자신도 처음이야. 그러니 모를 수밖에.

누군가의 마음을 읽을 수 있는 능력? 과학이 고도로 발달하고 초능력이 가능한 시대가 와도 그런 건 영원히 존재하지 않을 지도 모른다. 애초부터 말이 되지 않는다. 마음을 읽는 다는 것. 마음은 잡을 수 없고 항상 미묘하게 달라 끝없이 움직이는 바다와 같다. 무한히 새로 생겨나는 물결과 파도의 선율. 그것에 이름을 다 붙이며 읽을 수 없다. 그저 바라만 볼 수 있을 뿐이다. 읽는다는 행위는 고정된 것이다.

또 다른 문자 한 통은 어젯밤 소심한 그가 보낸 것이었다.

'잘 들어갔어요? 어젯밤은 제가 실수를 많이 한 것 같네요. 사실 너무 떨려서 그랬어요. 여자랑 술 먹는 건 **처음**이었거든요.'

문자를 보고 알쏭달쏭해졌다. 마지막 문장이 이상하게도 수수께끼처럼 느껴졌기 때문이다. 소심한 그의 '처음'이라는 말은 '장난'인 걸까, '진심'인 걸까? 혹시 어젯밤, 처음이라고 했던 말은 사실 전부 다 거짓은 아니었을까? 그 문장이 어젯밤의 있었던 모든 상황을 한순간에 뒤집어버리는 것 같았다.

진실 여부에 상관없이 나는 그의 모습이 떠올랐다. 그의 날카로운 콧대와 곱상하게 생긴 도련님 같은 얼굴, 카드를 내미는 하얗고 기다란 손, 고생이라고는 해본 적 없을 것 같은 여리여리한 어깨, 여기저기 눈치를 살피는 소심한 눈빛 속에 깃든 서툴음… 그의 사소한 면모부터 전체적인 모습까지 눈앞에 아른거렸다.

그가 내뱉었던 말들이 시간순서와는 상관없이 내 귀에 웅웅 들려왔다. 그것도 반복적으로.

한 번 더 그를 보고 싶었다.

예상치 못한 나의 감정에 내가 놀라웠다. 내가 왜 이러는 걸까. 변덕스럽다. 하지만 어쩔 수 없다. 감정은 나를 완전히 지배해버렸고 이미 나는 그에게 답장을 보내고 있었다. 감정은 항상 나보다 빠르다.

'오늘 저녁에 저랑 또 잭콕 마시러 갈래요?'

전송 버튼을 누르고 그의 답장이 오기만을 기다렸다.

완전히 뒤죽박죽 되어버린 나의 감정은 자기들의 자리를 찾지 못하고 있었다. 이러다 폭풍이 찾아올지도 모르겠다. 나의 모든 걸 뒤집어버릴 엄청나고 거대한 폭풍. 심장이 벌렁거렸다. 한편으로는 폭풍이 빨리 오기를 기대했다. 그것만큼 생생하게 살아있는 느낌을 주는 것은 또 없기 때문이다.

(단편집2에서 계속됩니다.)